YÉTI

Pour Christine
M.B.

Pour mon Yéti Philippe
C.N.-V.

kaléidoscope
les lutins de l'école des loisirs
11, rue de Sèvres, Paris 6ᵉ

ISBN 978-2-211-22994-4
Première édition dans la collection *les lutins*: octobre 2016
© 2016, l'école des loisirs, Paris, pour l'édition dans la collection *les lutins*
© 2014, kaléidoscope, Paris
Loi numero 49 956 du 16 juillet 1949 sur les publications
destinées à la jeunesse: septembre 2014
Dépôt légal: juillet 2016
Imprimé en France par Pollina à Luçon - L77873

YÉTI

Texte de **Christine Naumann-Villemin**

Illustrations de **Marianne Barcilon**

Yéti vivait seul et heureux dans sa belle montagne jusqu'au jour
où il trouva une botte au milieu d'une étendue immaculée.
Une jolie botte. À poils longs. Taille 36 environ. Ravissante.

Incrédule, il s'en saisit et la tourna dans tous les sens.
Il la rapporta dans sa cabane et la posa au pied de son lit.
Il s'interrogeait. Cette botte. Perdue au milieu de rien.

À qui appartenait-elle ? Qui l'avait égarée ? Quelle personne
était rentrée chez elle avec un petit pied nu et glacé ?

Il se souvenait que, quand
il était petit, maman Yétyette
lui racontait des histoires de princes
qui retrouvent leur chérie en allant de porte
en porte, une petite chaussure à la main. À la fin,
le prince se mariait, il avait des enfants,
était heureux...
Yéti retrouva le livre, en piteux état, certes,
mais les images étaient claires : celui qui avait trouvé
la chaussure s'en sortait drôlement bien.

Et lui, il commençait à se sentir bien seul.

Au matin, sa décision était prise : il allait descendre à la ville
et retrouver cette mystérieuse étourdie.

Il mit une boulette de dahut séché dans son sac à dos et partit.

Son reflet dans une mare glacée l'arrêta : il ne pouvait pas aller
à la ville comme ça ! Il était déjà descendu dans la vallée
lorsqu'il était petit pour voir un dentiste. Il savait bien
qu'un déguisement était nécessaire.

Il rentra chez lui et, aidé des images du livre,
procéda à quelques changements.

À l'orée de la ville, il trouva des vêtements et une bonne paire de chaussures.

Puis, il commença sa quête.

Ding, Dong !! !

La première personne qui lui ouvrit refusa
catégoriquement d'essayer la botte.

La deuxième ne fut pas d'accord non plus.

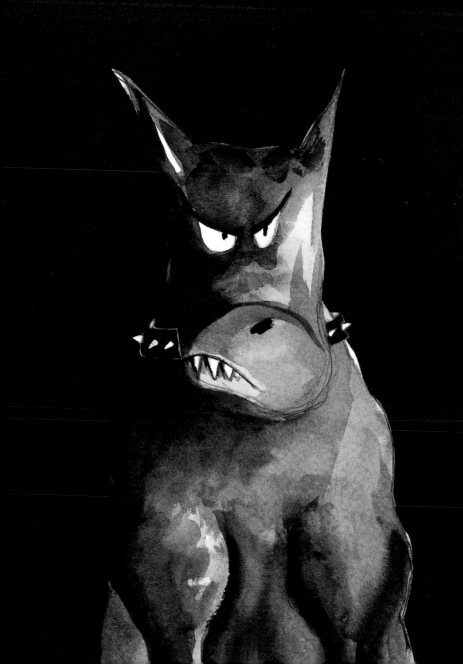

Sans se décourager, Yéti frappa à de nombreuses portes.
En général, on ne lui ouvrait même pas. Il n'avait jamais
le temps de prononcer la phrase qu'il avait laborieusement
préparée : «Bon-jour. Moi cherche la belle dame qui perdre
chaussure pour marier avec.»
Lorsque, par miracle, une porte s'entrouvrait, les gens fronçaient
les sourcils devant son aspect quelque peu étrange.

Enfin, quelqu'un répondit. Mais Yéti fut bien déçu, c'était
un vieux monsieur: «Ho! La jolie bottine que voilà! Mes chats
y dormiraient volontiers!»
Horrifié par cette perspective, Yéti répondit:
«Oh, non, ça botte pour très belle princesse, pas pour bêbête!»

Découragé, il frappa à une autre porte sans trop y croire.
Une jolie jeune femme se trouvait devant lui.
En voyant la botte, ses yeux magnifiques s'éclairèrent :
« Vous avez retrouvé ma botte ! C'est pas trop tôt !
Tenez, mon brave, un euro pour la peine. »

Et clac!

Dans un élan désespéré, Yéti se mit à crier :
« Eh, toi, belle mademoiselle, toi pas vouloir épouser moi ? »
À travers le bois, la beauté répondit :
« Non mais t'as vu ta tête ? »

Yéti repartit. Triste. Si triste. Il avait échoué.
Il rentrait, seul. Si seul. Arrivé à la dernière maison de la ville,
il s'assit pour ôter ses godillots.
La porte s'ouvrit: «Hé! Mais c'est mon prince charmant
qui me ramène mes chaussures», fit la dame.
Yéti ôta le poncho: «Tiens, manteau. Moi rentrer
dans montagne», souffla Yéti, tout triste.

«J'adore la montagne!» s'exclama la dame. «Je suis alpiniste!
Vous savez que je suis la première femme à avoir gravi
le Kikikilivrest?»

«Kikikilivrest trop fastoche», grommela Yéti.

«Quoi?» se fâcha la femme. «Et le mont Tupointu?
Ça, c'est de la roche rocheuse, du caillou caillouteux!»

«Mont Tupointu, gnognotte», sourit Yéti.

«Et la cordillère des Glandes? Ça, c'est haut!»

«Plus montagnu, vrai! Mais pour Yéti, petite rigolade.»

«Dites donc, ça vous dirait, une bonne soupe
pour discuter de tout ça?
Et vous pouvez garder le poncho, j'en tricoterai un autre.»